L'Hexagone bénéficie du soutien de la Société de développement des entreprises culturelles du Québec (SODEC) pour son programme d'édition.

Gouvernement du Québec – Programme de crédit d'impôt pour l'édition de livres – Gestion SODEC.

Nous reconnaissons l'aide financière du gouvernement du Canada par l'entremise du Programme d'aide au développement de l'industrie de l'édition (PADIÉ) pour nos activités d'édition.

Nous remercions le Conseil des Arts du Canada de l'aide accordée à notre programme de publication.

LA LUNE N'AURA PAS DE CHANDELIER

DANIEL LEBLANC-POIRIER

la lune n'aura pas de chandelier

l'HEXAGONE

Éditions de l'HEXAGONE
Une division du groupe Ville-Marie Littérature
1010, rue de La Gauchetière Est
Montréal, Québec H2L 2N5
Tél.: (514) 523-1182
Téléc.: (514) 282-7530
Courriel: vml@sogides.com

Maquette de la couverture: Anne-Maude Théberge
En couverture: © Daniel LeBlanc-Poirier, *Sans titre*, acrylique sur toile, 2004

Catalogage avant publication de Bibliothèque et Archives Canada
LeBlanc-Poirier, Daniel, 1984-
La lune n'aura pas de chandelier
(Collection L'appel des mots)
Poèmes.
ISBN 978-2-89006-790-5
I. Titre. II. Collection.
PS8623.E371L86   2007   C841'.6   C2006-942041-6
PS9623.E371L86   2007

DISTRIBUTEURS EXCLUSIFS:

• Pour le Québec, le Canada et les États-Unis:
LES MESSAGERIES ADP*
955, rue Amherst, Montréal, Québec H2L 3K4
Tél.: (514) 523-1182
Téléc.: (450) 674-6237
*Filiale de Sogides ltée

• Pour la Belgique et la France:
Librairie du Québec / DNM
30, rue Gay-Lussac, 75005 Paris
Tél.: 01 43 54 49 02
Téléc.: 01 43 54 39 15
Courriel: direction@librairieduquebec.fr
Site Internet: www.librairieduquebec.fr

• Pour la Suisse:
Transat SA
C.P. 3625
1211 Genève 3
Tél.: 022 342 77 40
Téléc.: 022 343 46 46
Courriel: transat-diff@slatkine.com

Dépôt légal: 1er trimestre 2007
Bibliothèque et Archives nationales du Québec, 2007
Bibliothèque nationale du Canada

– Ah ! qu'as-tu ? tes chers cils s'amalgament de perles.
– C'est que je vois mourir le jeune espoir des merles

ÉMILE NELLIGAN

Au coin de la rue Saint-Denis
la lumière verte ressemble à un pois

entre les piétons la prostituée
repose sur un pied son poids
laissant son poing
sur sa hanche opposée

il pleut des petits clitoris
la lune se reflète sur la chaussée mouillée
j'ai en tête des vagins
mouillés de sirop d'érable
et des mamelons
qui goûtent la gomme balloune

Je me suis levé tout de travers
mon cadran ronfle sur la table
à côté du cendrier

six heures du matin
il faut que je fasse mes push-ups
j'ai des biceps gros comme des bleuets

les fleurs qui tapissent les murs
me font penser à des chaussons aux pommes

j'ai mis de l'ammoniaque dans les armoires
pour tuer les petites coquerelles

L'automne les sourires deviennent tendres
comme du pain Gailuron

les élections sont prévues
pour le mois de janvier
dans mon pays de soupe aux pois

je prédis que le premier ministre du Canada
va se noyer dans la piscine olympique
en allant faire sa natation le dimanche matin

j'ai un escalier en colimaçon dans la bouche
quand j'essaie de boire la soupe que la vie me sert

j'ai dans les pieds des souliers de golf
et sur les doigts des blessures de machine à écrire

L'homme sage sait
la mort se digère mieux avec du thé

nous sommes des miroirs
teintés de l'encre de nos habitudes
le temps devient notre ghetto
les rats boivent du rêve
à même la bouche des vieillards

dans le quartier chinois
les arbres ont l'air de sacs de chips au ketchup

Ma parole s'est déchirée
j'ai pleuré des lettres
il ne restait de moi qu'un mot
versé dans l'évier

voici la nuit broyée dans mes os

J'ai cassé un verre de rage quand j'ai appris que le prix du steak allait monter, car je mange un quartier de bœuf par semaine et mon compte de banque est un cheval essoufflé, mais je calcule aller à New York pour Pâques si j'ai quelqu'un pour m'accompagner

Je vais découper des radis
ils nous serviront de jetons
sur les tables de black-jack
où jadis je me suis gavé par le nez
de patates en poudre

nous buvons du vin de dépanneur
dans nos verres en carton
nous avons dans les yeux des fleuves congelés

Peux-tu te rappeler
en fin de session
la fournaise faisait glisser
des coulisses de sueur entre tes clavicules
plus fragiles que des mines de crayon?

La radio recrache un son de New York

par la porte patio
des goélands m'amusent
à force de vouloir se montrer plus menaçants
que des bombardiers qui largueraient leur fiente
sur l'épaule des passants
Montréal vomit une lumière aussi cassante
que les coudes des chanteurs cocaïnomanes

il suffisait d'un quart d'heure
arraché à Rufus Wainwright
pour nous défoncer de bonne heure
entre le vide et les instants brûlés

Tu portes dans les cheveux des lys
qui dégagent un parfum d'amphétamine

tes dents retiennent
cette odeur tchécoslovaque
d'avoir trop embrassé
avec ta bouche rouge coquelicot
le rouge que les parlementaires arborent
le jour du Souvenir

tu traînes tes Waterloo
tes grandes blessures de guerre
partout où tu vas

J'ai échangé un baiser contre une fellation
je n'ai plus rien à faire ici
si j'avais de l'argent
j'engagerais un chauffeur
et je partirais au Mexique

là-bas le soleil est un dieu blond
que l'on prie couché sur le dos

Mes yeux bouffis de néant
fixent sur un fauteuil vide
une partition de musique inachevée

le vingt-cinq janvier le ciel s'obscurcit
comme la crosse de la carabine
avec laquelle s'est tiré Kurt Cobain

J'ai voulu singer Leonard Cohen

wearing a famous blue raincoat
le regard triste walking with Suzanne
dans le quartier portugais
rue des Talons-Hauts
lust in my soul
vieille rivière vieillie par la ville

everybody knows

Douze heures de train Chopin au baladeur
des verres de pluie froide
s'abattent sur le Nouveau-Brunswick
déneiger l'asphalte
déneiger le jour de l'An

dong! dong! les cloches de tourtière
résonnent dans la cuisine
ma mère doit faire cuire une dinde
dans son vieux fourneau
acheté du père Lanteigne en 1980

Je pense au Te Deum
que mon grand-père chantait
quand il était bien portant
je revois les éclats de rire de ma sœur
que nous avons noyés
dans des bouteilles de bourbon
devant la porte de l'église de Whitehall

Minuit
les voitures grelottent
je danse à moins trente
avec mes souliers à claquettes clac!
clac! j'en perds un bouton de manteau

mes veines se désaccordent
comme des cordes de banjo
qui laissent couler le sang de ma race

sans un son sur mes lèvres
tout s'est envolé par mes yeux
bulles de champagne et Saint-Sylvestre

Je m'ennuie

le passé   souvenirs
punaises du cœur

papier glacé des photographies
plein les tiroirs d'anciens sourires
d'anciens fourreaux de jeunesse
des Villefranche-sur-Mer
aux algues qui empestent les plages

plein mes souliers
des décembres entre janvier et novembre
le Vieux-Port de Montréal devient un glaçon
semblable à celui que Collin Laramée m'a servi
dans mon Chivas Regal
la nuit où je lui ai parlé de Toulon
c'était un dimanche
15 décembre je crois
la neige ressemblait à de la crème glacée

Le matin me donne un coup de poing
j'ai les cheveux aussi crottés que le parquet
le plafonnier a l'air d'un pot de cornichons
le salon d'un dépotoir fertile
ou pire d'une pelouse
où poussent des maladies cardiaques

j'ai envie de pleurer des petits mondes
et de recueillir mes larmes dans une marmite
que je mettrais au four à 450

Unfold me
like an old piano

j'ai l'impression de vieillir
en accords desséchés
sous le soleil obtus de la Nouvelle-Orléans
avec les fantômes du Mississippi

Unfold me
mon souffle reste pris
dans le mécanisme d'un accordéon
ramanché avec de la broche

unfold me
je suis décoloré comme un tapis
sur un perron de bungalow

Unfold me
j'ai des petits os de bois d'épinette
mes jambes
deux branches de céleri

j'ai été baptisé avec une cuillère d'eau courante
par la tête quand je vivais à Rimouski
ma mère et ma tante m'ont aimé comme un crucifix
ce crucifix cloué au-dessus du cadre de la porte
    de ma chambre
Jésus-Christ pourquoi te prends-tu
pour un chevreuil sur un capot de camion?

Unfold me
j'ai des chapelets de givre
que j'accroche à ma fenêtre
pour mes prières d'impie

unfold me
mais sur le lac d'hiver
ne m'attends plus
j'ai des mensonges à oublier
seul

Il fait un temps d'orchidée sous mes paupières
je devrais filmer ce que je vois.

le linge a gelé sur la corde
le thé danse la claquette sur le feu
la bouilloire passe pour un pantin

dehors des vieillards déroulent leurs os
et attendent que les secondes coulent

Midi vingt-cinq une voix vient
l'ombre de tante Évangéline
prend l'air dans la cour du couvent
une bourrasque lui arrache le voile

dans ses pas
elle sort de l'éternité comme d'un rêve

quand elle est morte
il y a des gens qui ont dit
que Longfellow l'avait fait empailler
pour la garder près de lui
afin que ses prières aient le sentiment
d'être entendues

J'ai du jus de pomme dans les poumons
mes yeux ressemblent à deux ressorts comprimés

j'ai l'impression que mon corps est une valise
bourrée de médicaments

on dirait qu'il pleut dans ma tête
des gouttes grosses comme des bines
que les égouts rotent le trop-plein de ma fièvre

hostie de drogue

Les lampadaires me pleurent
je suis plié comme une facture
la lumière s'époumone
sur un soir sans lune
mes muscles n'ont plus d'orgueil

je dessine des grimaces
sur la neige de mon perron
je me prends pour un Chinois de l'île Maurice
et je m'aime bizarre

si j'étais politicien
je soignerais encore plus mon image
(pour avoir ma face dans le Robert des noms propres)

J'ai des regrets qui s'accumulent dans ma bouche
pourritures d'intentions

je m'assois au clavecin
avec une cigarette

les mains pleines de silence

La fenêtre est barbouillée
de crottes de pigeon
les rideaux sont les paupières du châssis

les oiseaux créent d'étranges remous
en plongeant en bas des buildings

les rues grouillent d'inaction
des pas résonnent dans la cage d'escalier

le temps bave
sur le bracelet de ma montre

La lune se balance sur le toit de la tour de la CIBC
elle prend les traits d'un œil en plastique
éclairé par un fanal géant

je reste seul et je te dis Andrew Deslauriers
tu as du sirop d'érable dans ton piano
quand tu joues du Schubert en sirotant du Mountain Dew

je t'aime de toute la force de mes poumons
mais je coucherais ta femme sur mon matelas
je fonds comme de la cassonade
quand elle me flatte dans le cou
avec ses dix doigts de prostituée

J'ai des confettis dans les cheveux
qui datent de l'époque
où mes mariages s'entremêlaient
j'avais deux cœurs
et une femme pour chacun

assis sur le sofa en fumant du haschisch
je fais des points de suture sur mon passé

La télévision conte des menteries
l'absurde se divertit
sur un fond de film porno

mon chat est mort
s'il mange mon salami
je le surveille
en attendant que les onze heures viennent
me coucher dans ma litière

Quand je me lève tôt
j'ai le toupet de Jerry Lee Lewis
et des lapins dans les mollets

faim d'un bleu ciel
mon cœur est en sandwich entre deux orages
j'ai des étoiles prises dans la gorge
comme des petits sacs de cocaïne
que l'on cache aux douanes

si j'étais Napoléon Bonaparte
je ferais sonner trois coups de canon
et je boirais un café avec deux sucres
parce que l'odeur de la poudre donne soif

Tous les jours s'apparentent à lundi
sur les pages du calendrier

si j'avais du bois
je me construirais une chiotte
pour enfermer la monotonie
entre quatre murs qui bâillent
sur des sent-bon de sapin

Une sortie en ville

quand je vois les cuisses des passantes
je fantasme
d'être leur animal de compagnie

dans ces moments-là
ma blonde sent que je m'éloigne d'elle
elle se tait
me divise

Entre elle et ses désirs
il y avait souvent une clôture
dans ses accès de nervosité
elle cherchait toujours à m'intimider
mes mains dans mes poches
étaient des petites patates

je disais
tu ne m'écoutes pas
tu es trop occupée à mourir
dans tes étroites habitudes
tu t'obstines à vouloir presser ma vie
comme un pantalon d'enfant d'école

Dire qu'en 1999
je flambais mes quinze ans
futile feu d'artifice

mes testicules ressemblaient à deux kiwis
quand je me nourrissais correctement à la cuillère
je buvais des milk-shakes au chocolat
et des jus de trois fruits pressés

je dansais sans arrêt
à m'en disloquer les genoux

À la salle communautaire
un parfum de mélasse dans mes cheveux
faisait tourner la tête des filles
je tapais du pied
sur la tuile avec mes jambes de centaure
la lumière s'accrochait à ma chemise
comme sur un drapeau de la Belgique
tissé à la main par une vieille Wallonne
de la banlieue de Bastogne

Lors d'une tempête de trois jours
j'ai vu neiger des grêlons
gros comme les yeux de Jean-Luc Mongrain
j'ai vu les néons osciller
Hydro-Québec voulait nous reprendre le courant

depuis j'ai été partout
j'ai bûché des sapins
en Abitibi-Témiscamingue
gossé le bois avec un couteau
sorti des magnolias de ma guitare

J'ai lu le dictionnaire
bu du vin volé
mis de l'ecstasy
dans le café de mon prof de religion

vingt années de vaches maigres
ont fait de moi un gibier affamé
cœur en plumes
sur un pupitre d'écolier

Je connais même un endroit
où poussent des squelettes sur les trottoirs
là les seringues
ressemblent à des lampadaires
qui refusent de s'éteindre

dans Hochelaga-Maisonneuve
l'héroïne se vend plus vite que la farine Robin Hood
les cerveaux sécrètent
plus de sucre que la betterave

dos à moi
je prends des petites pilules qui me tiennent
les pupilles dans le beurre à l'ail

Les papillons de nuit attendent encore
avant d'aller fumer du crack
en cachette derrière les montagnes

couchées devant l'horizon
elles ressemblent à des hippopotames
recouverts de grands carrés de tourbe

L'été les étoiles prennent la forme de granules de cristal
les Perséides jaillissent comme des cum shots

je rentre chez moi sur une seule jambe
un smoked-meat à trois piastres et demie dans l'estomac

une fourmi se promène
sur mon papier Zig-Zag
en voici une de plus
qui va se faire bouffer par mon chat

à bien y penser je courrais des risques
à vouloir me réincarner en insecte

À défaut de femelles
le cœur me bat
autant que la caisse de résonance du jazzman
que j'ai entendu dans le New Jersey

j'enfonce des vis dans le gyproc
comme si je perçais
l'hymen' des jeunes vierges de Bangkok

des fois je suis vraiment un matou

Pourquoi nous sommes-nous brisé le cœur avec un
    marteau, Mylène ?

nous pleurnichions des chansons country
au bout du quai
la lune était dans l'eau
en même temps que mes remords

il y a tant de baisers qu'on écrase
sans réfléchir

Le temps prend la forme d'un TGV
sur les rails de mes os
je sais bientôt je deviendrai
un vieux lilas tuberculeux

quand j'aurai soixante ans
je veux mourir devant la TV
en faisant des mots croisés dans le salon

avant de partir je vais faire
retirer mon nom du bottin
pour vivre dans la clandestinité
comme Hubert Aquin

Le soleil se tirera une balle dans la tête
Montréal sera triste
sur un ciel noir d'encre
les moineaux seront partis
prier sur d'autres fils électriques

la lune n'aura pas de chandelier

AUTRES TITRES PARUS
DANS LA COLLECTION

Imprimé au Québec (Canada)

Cet ouvrage composé en New Baskerville corps 11
a été achevé d'imprimer
le vingt-cinq janvier deux mille sept
sur les presses de Québecor World
à Saint-Romuald
pour le compte des
Éditions de l'Hexagone.